Guide pratique

Écrit par Brian J. Bromberg

Mister Toucan

Tico

Étoile baseball

Grand
Poulet Rouge

Bébé Jaguar

Pompon, le lutin grognon

Étoile amusante

Véra

Totor

Chipeur

Étoile outilleuse

Qui est ton explorateur favori ?

Les étoiles ! *The stars !*

Diego

Étoile fusée

Babouche

Dora

Le Train bleu

Carte et Sac-à-dos

Le Trio fiesta

Table des matières

Allons-y !

Pars à l'aventure avec Dora l'Exploratrice !
Dora et son meilleur ami Babouche
ont besoin de ton aide pour résoudre
des problèmes, sauver leurs amis
et déjouer Chipeur, le renard rusé.
Allons-y ! *Let's go !*

Autour du monde
Dora et Babouche
ont besoin de ton aide
pour explorer les forêts,
les montagnes et même
l'espace ! Es-tu prêt(e)
à partir ?

Tout le monde explore !

Pour Dora, chaque journée est remplie
d'une nouvelle aventure excitante.
Mais elle a besoin de ton aide !

Dora ne part
jamais sans Sac-à-dos
et Carte

Ces bottes sont
spécialement conçues
pour explorer, c'est
pourquoi Babouche
les porte toujours.

Nous pouvons y arriver !

Que ce soit dans la forêt tropicale ou
au sommet d'une haute montagne,
Dora doit surmonter de nombreux
obstacles en cours de route.

Les amis donnent un coup de main

Véra, Tico et Totor sont de bons amis. Ils
viennent en aide à Dora dès qu'ils en ont la
possibilité, et ils peuvent aussi compter sur
elle lorsqu'ils ont besoin d'un coup de main !

Prends garde
à Chipeur en
cours de route !

Anglais ! English !

Dora parle français et
anglais. Apprends avec
elle à dire des mots
dans les deux langues !

Tu peux nous guider !

Dora n'a pas peur de demander de l'aide.
Elle te demandera souvent de l'aider à suivre
les directions, à compter, à chanter ou à attraper
des étoiles. Vas-tu l'aider ?

Pour traverser la mare
boueuse, Dora doit
suivre le chemin qui est
parsemé de huit petites
bûches. Quel chemin
compte huit bûches ?

Dora l'Exploratrice

Dora est une exploratrice serviable. Elle a sept ans et elle est toujours prête à partir à l'aventure. Elle adore explorer avec ses amis Babouche, Sac-à-dos, Carte et avec toi, bien entendu !

Dora transporte tout ce dont elle a besoin dans Sac-à-dos.

Dora porte toujours son bracelet dans son poignet droit.

Comment tout a commencé

Dora a fait la rencontre de son meilleur ami Babouche ainsi que de Véra, Totor et Tico lors de sa toute première aventure. Ils ont aidé Dora à trouver les instruments de musique du Trio fiesta et ont arrêté Chipeur alors qu'il s'apprêtait à chiper les bottes de Babouche !

Les explorateurs ont besoin de souliers confortables ! *Nice shoes !*

8

Grande soeur

Dora est une grande sœur fantastique. Elle aime prendre soin de son petit frère et de sa petite sœur. Elle aime leur raconter des histories dans lesquelles ils partent ensemble à l'aventure !

Allons-y ! Let's go !

Soccer ! *Football* !

Le soccer est le sport préféré de Dora. Elle adore jouer avec les amis de son équipe qui s'appelle Les Explorateurs Dorés ! Quel est ton sport préféré ?

Dora adore

Dora adore explorer. Sais-tu ce qu'elle aime aussi ?

⭐ Dora adore Baby Bear, son ourson en peluche.

⭐ Elle adore attraper des étoiles avec Grandma.

⭐ Elle adore prendre soin de son chiot Puppy.

On est si bien chez-soi

Dora habite dans une jolie maison jaune avec sa Maman, son Papa, son frère et sa sœur. Grandma, la grand-mère de Dora, et Diego habitent tour près de chez Dora.

La maison de Dora !
Dora's house !

Babouche

Babouche est un drôle de singe tout poilu. Il a cinq ans et demi et c'est le meilleur ami de Dora. Babouche parle seulement français, mais Dora l'aide à apprendre des mots en anglais. Babouche aime ses bottes rouges et adore explorer avec Dora.

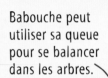

« J'aime mes bott

Des singeries

Babouche se cache dans les arbres, fait des sauts périlleux par derrière et fait la Danse du Singe pour faire rire Dora. Ce petit singe aime bien faire le fou !

Babouche peut utiliser sa queue pour se balancer dans les arbres.

Peau de banane !

Une des activités préférées de Babouche c'est de partir explorer avec Dora. Voici quelques autres activités qui le rendent heureux.

★ Il aime se blottir contre son doux dinosaure en peluche lorsqu'il va dormir.

★ Babouche aime jouer au baseball.

★ Tu peux surnommer Babouche « M. Devinettes » car il adore résoudre toutes sortes d'énigmes.

Combien y a-t-il de cheveux hérissés sur la tête de Babouche ? 1,2,3 !
One, two, three !

Aventure préférée

Ce que Babouche préfère par-dessus tout, c'est de visiter son père au travail. Le père de Babouche construit des choses comme des parcs d'attractions et cette montagne russe !

Le camion à incendie de Babouche

Babouche adore jouer avec des camions, tout particulièrement avec son super camion à incendie doté d'une sirène ultra-bruyante. Son jouet ressemble beaucoup à Red, le camion de pompier. Et toi, quel est ton jouet préféré ?

Babouche chante une chanson sur ses bottes rouges qui s'intitule «J'aime mes bottes».

Sac-â-dos

Sac-à-dos est l'ami fidèle de Dora qui l'accompagne partout où elle va. Il contient tout ce dont elle pourrait avoir besoin au cours de ses voyages. Tout comme Dora, Sac-à-dos peut parler français et anglais.

« Je transporte tout ce dont tu as besoin ! »

Un cadeau qui parle !

Sac-à-dos est un cadeau offert par Maman et Papa. Sac-à-dos est toutefois plus qu'un cadeau : c'est un grand ami.

La poche â étoiles

Lorsque Dora attrape une étoile, elle la met à l'intérieur de sa poche à étoiles, qui est située sur l'un des côtés de Sac-à-dos.

Courroie brisée

Sac-à-dos vient toujours en aide à Dora, mais parfois il a besoin que Dora l'aide. Sac-à-dos a déjà demandé à Dora de réparer sa courroie avec du ruban adhésif !

Plein à craquer

Sac à dos contient des tas de trucs, et Dora a généralement besoin de ton aide pour trouver exactement ce dont elle a besoin. Vois-tu la caméra ? *The camera!*

Venir en aide à Dora fait toujours sourire Sac-à-dos !

« Miam, miam, miam ! *Delicious!* »

Voici quelques objets utiles que Sac-à-dos a transportés pour Dora

★ *The horn!* Le cor pour jouer de la musique.

★ *The binoculars!* Les jumelles pour bien voir les objets éloignés.

★ *The key!* La clé pour ouvrir le portail verrouillé.

★ *The books!* Les livres à retourner à la bibliothèque.

Carte

À qui demander de l'aide pour savoir quel chemin prendre ? À Carte ! Il est l'ami dynamique, drôle et serviable de Dora.

Carte est dynamique et adore chanter !

Deux en un

Dora a reçu Carte en même temps qu'on lui a offert Sac-à-dos. En effet, son ami vit dans la poche latérale de Sac-à-dos. Quelle équipe !

Vêtu pour l'occasion

Carte connaît toujours le chemin qu'il faut suivre et il s'habille parfois selon chaque aventure.

★ Carte portait un cache-œil de pirate lors de l'aventure de Dora et les pirates.

★ Il s'est déguisé en espion lors de la super aventure d'espionnage de Dora.

★ Carte s'est envolé comme une fusée lors de l'aventure de Dora dans l'espace.

★ Ho ! Ho ! Ho ! Carte s'est déguisé en Père Noël lors d'une aventure de Noël.

Un très bon guide

Carte indique le chemin à Dora et lui rappelle de surveiller Chipeur !

Carte perdue !

Dora a dû sauver son ami Carte lorsqu'un oiseau un peu bête l'a pris pour un bout de branche. L'oiseau s'est servi de Carte pour construire son nid au sommet de la Grande Montagne !

Super Carte !

Une cape magique a permis à Carte de devenir un super héros ! Il s'est envolé haut dans les airs pour indiquer le chemin à Dora et a utilisé ses super pouvoirs pour l'aider à rentrer chez-elle.

Attrapons des étoiles

Les étoiles ! The stars ! Lorsque Grandma a offert une poche à étoiles à Dora, cette dernière est devenue attrapeuse d'étoiles, à la conquête d'étoiles amicales et ricaneuses. Dora attrape parfois des étoiles exploratrices qui l'aident dans ses aventures.

Étoile outilleuse

Tu as quelque chose à faire réparer ? Étoile outilleuse est l'étoile exploratrice qui possède tous les outils super géniaux.

Des outils comme ce marteau viennent d'Étoile outilleuse.

Vers la montagne Étoilée !

Lorsque Chipeur a lancé le collier de Dora jusqu'en haut de la Montagne Étoilée, Dora a fait la rencontre de plusieurs étoiles exploratrices qui l'ont aidée à récupérer son collier !

Jumper

Si Dora et Babouche doivent sauter par-dessus quelque chose de très haut, ils ont besoin de Jumper, l'étoile exploratrice ultra sautée.

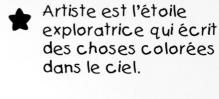

Scintillante

Scintillante est une étoile exploratrice qui brille très fort. Elle peut éclairer Dora dans un tunnel ou utiliser sa chaleur pour faire fondre de la glace.

Étoile fusée

Décolle de la Terre avec Étoile fusée, l'étoile exploratrice ultra rapide qui aide Dora à voler !

Coucou

Rencontre d'autres étoiles exploratrices

★ Coucou est l'étoile exploratrice qui joue à faire « coucou ».

★ Artiste est l'étoile exploratrice qui écrit des choses colorées dans le ciel.

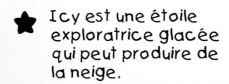

Artiste

★ Magic fait plein de magie et joue plein de tours.

★ Étoile amusante est vraiment comique et fait de drôles de grimaces.

★ Étoile bruyante est la plus bruyante des étoiles exploratrices.

★ Icy est une étoile exploratrice glacée qui peut produire de la neige.

★ Glissade est glissante et glisse un peu partout !

★ Étoile disco possède toutes les chansons pour une fête réussie.

★ Étoile super héros est la plus forte des étoiles exploratrices.

Chipeur

« Oh non... ! »

Chipeur est un renard rusé et rapide qui tente toujours de chiper les objets de Dora et de les cacher. Il habite dans la Vallée des Bleuets, mais il peut surgir de n'importe où lorsqu'il veut embêter Dora. Surveille-le bien !

Le renard rusé se déguise avec un masque bleu.

Les gants !
Gloves !

Maître du déguisement

Chipeur tente parfois de duper Dora en se déguisant en arbre, en cactus, en œuf géant ou même en ours polaire. Dora et ses amis doivent faire attention à ce renard rusé.

«Chipeur, arrête de chiper !»

Aide Dora et Babouche à arrêter Chipeur en répétant trois fois « Chipeur, arrête de chiper! ». Chipeur fera claquer ses doigts et dira « Oh, non ! » avant de s'enfuir. Mais il réessayera un peu plus tard !

Le côté tendre de Chipeur

Chipeur le renard est parfois gentil, comme lorsqu'il a décidé de rendre le cadeau du Père Noël qu'il avait chipé.

Chipeur a une grosse queue touffue.

Les gadgets de Chipeur

Chipeur utilise toutes sortes d'inventions pour chiper des objets, comme un Robot Papillon, une Super Machine à Chiper et un Hélichipeur !

The Family !

Dora habite avec Maman, Papa, son petit frère, sa petite sœur et son chiot Puppy. La Grandma de Dora ainsi que ses cousins, ses oncles et ses tantes viennent souvent la visiter. La maison de Dora est toujours pleine de monde !

Papa adore aider Dora à préparer de délicieuses gourmandises dans la cuisine.

Maman aime les gâteaux aux noix, aux bananes et au chocolat !

Maman et papa

Maman est aussi une exploratrice puisqu'elle est archéologue. Papa aime que Dora lui raconte toutes ses nouvelles aventures. Maman et Papa ont offert une trousse d'exploratrice à Dora ! Vois-tu les jumelles ?

Du temps en famille

Au souper, Dora se réunit avec ses parents, Grandma, ses cousins et parfois ses amis. Ils se racontent des histoires et partagent de bons moments.

Dora vit tout près de chez *Grandma* – aller chez *Grandma* est toujours une aventure !

Une famille qui s'agrandit

Avant que Dora ne devienne une grande sœur, seules trois personnes vivaient dans la maison. Puis les jumeaux sont nés. Combien de personnes vivent maintenant dans la maison de Dora ? Cinq ! *Five !*

Grandma

Dora est très proche de sa grand-mère. Grandma demande parfois à Dora de partir à l'aventure. Elle a déjà demandé à Dora de trouver son vieil ami l'arbre Chocolat.

Dora adore faire des câlins à *Grandma*

Diego

Le cousin de Dora, qui a huit ans, sauve des animaux. Il parcourt la forêt tropicale pour venir en aide à ses amis les animaux. Il aide souvent Dora dans ses aventures.

Ã la rescousse !

Diego parle français et anglais, mais il peut également parler aux animaux en grognant, en couinant et en sifflant ! Voilà pourquoi il est si habile lorsque vient le temps de sauver des animaux !

La veste de Diego contient toutes sortes de gadgets qui l'aident à secourir les animaux.

Centre de protection des animaux

Dora et Babouche adorent visiter Diego au Centre de protection des animaux qui est situé au fond de la forêt tropicale. Diego aide ses parents à prendre soin de toutes sortes d'animaux.

Bébé Jaguar

Bébé Jaguar est taquin; c'est l'un des animaux préférés de Diego. Que ce soit dans la forêt tropicale ou sur un bateau de pirates, il adore explorer en compagnie de Diego et de Dora !

Combien de taches y a-t-il sur la tête de Bébé Jaguar ? (Réponse à la page 48)

Le journal de Diego

Diego trouve toutes les informations dont il a besoin à propos des animaux dans son journal informatisé.

Le journal informatisé de Diego contient de l'information sur les animaux.

La famille de Diego

Dora et Diego sont des cousins qui s'aiment bien. Diego aime aller chez Dora avec sa maman et son papa pour faire la fête.

Vas-y Diego !

En compagnie de Diego, Dora vit des aventures incroyables avec des animaux.

★ Ils ont sauvé Bébé Jaguar lorsque ce dernier est resté coincé près d'une chute d'eau.

★ Ils ont aidé Babouche lorsqu'une bourrasque l'a emporté au loin !

★ Ils ont raccompagné un dinosaure sur l'Île Dino.

Totor

Totor est un gros et puissant taureau qui a un bon appétit et un grand cœur. Il aide souvent son amie Dora dans ses aventures, mais c'est généralement Totor qui a besoin de l'aide de Dora !

Totor est toujours prêt à donner un coup de main - ou de sabot – à Dora !

La grange de Totor

Totor et sa grand-mère habitent dans une vaste grange rouge. Dora vient souvent lui rendre visite. Dora voit aussi Totor à l'école et à toutes les fêtes où elle va. Totor raffole de la nourriture qui est servie quand il y a une fête. Il aime particulièrement les gâteaux et la crème glacée !

Totor porte toujours son foulard préféré à pois bleu.

Totor la patate !

Totor a vraiment eu besoin de l'aide de Dora lorsqu'il a trouvé une baguette magique et s'est transformé en patate ! Dora l'a aidé à trouver un jeune magicien qui lui a fait reprendre sa forme initiale.

En mouvement !

Totor adore s'envoler haut dans le ciel avec ses amis à bord de sa montgolfière – mais il doit d'abord s'assurer qu'elle n'a aucune fuite. Sinon, Dora devra la réparer avec du ruban adhésif !

Totor vient en aide

Totor n'a pas toujours besoin d'aide. C'est parfois lui qui vient à la rescousse de ses amis. Il a aidé Dora de différentes façons.

★ Il a joué dans l'équipe de soccer de Dora, les Explorateurs Dorés, et l'a aidée à remporter la partie contre l'équipe Dinosaure.

★ Il a conduit Dora et Babouche à bord de son kart pour aller rencontrer le petit frère et la petite sœur de Dora.

★ Sa force a permis à l'équipe de Dora de remporter la Super Course Aventure.

Tico

Tico est un écureuil anglophone et l'ami le plus rapide de Dora. Il est toujours prêt à venir à la rescousse, bien que ce soit parfois lui qui demande de l'aide à Dora… en anglais, bien entendu !

Fou des noisettes

Comme tous les écureuils, Tico raffole des noisettes !

Un rongeur rapide

Tico utilise des voitures, des bateaux, des trains et même un avion propulsé par un vélo pour aider Dora et Babouche dans leurs aventures !

Tico le héros

La mère de Tico est pompière, et Tico est lui aussi un héros. Tico a aidé Dora à maintes reprises.

★ Tico a conduit Dora jusqu'au sommet de la Grande Montagne.

★ Il a aidé Dora à récupérer son coffre au trésor qui était aux mains des pirates.

★ Dora et Tico ont construit un escalier en étoiles au pays des fées.

Tico porte toujours son gilet rayé.

« Hurry up my friends ! »

Arbre généalogique

Tico fait partie d'une grande famille. Il habite avec sa mère et ses cousins dans la forêt aux Noisettes.

My friend Tico !

Tico parle anglais; alors n'oublie pas de lui dire « *Hi!* » lorsque tu le vois. Toi, as-tu des amis qui parlent anglais ?

Tico adore conduire sa petite voiture jaune. *His little yellow car!*

Véra

Véra est un iguane. Elle est intelligente, attentive et elle habite dans le Jardin Fleuri. Elle adore venir en aide à ses bons amis, Dora et Babouche.

« J'aime mes fleurs ! »

Le pouvoir des fleurs

Véra adore faire pousser des fleurs. Une fois, elle a fait le souhait que son tournesol pousse très très haut dans les airs. Il a tellement poussé qu'il a fallu que Dora l'aide à en descendre !

Des surprises

Véra est tranquille et peut facilement se fondre dans l'arrière-plan, particulièrement dans les forêts et les jardins. Elle est très bonne à la cachette ! Peux-tu voir Véra ?

Les fleurs de Véra

★ Fleur favorite : Tournesol

★ Fleur la plus bruyante : Fleur siffleuse

★ Fleur la plus active : Fleur dansante

★ Fleur la plus jaune : Pissenlit

Véra a de beaux et longs cils.

Elle aime ses amis

Véra aime tous ses amis, mais elle aime passer du temps avec un singe en particulier !

Le Jardin Fleuri de Véra

Véra a beaucoup de fleurs exotiques dans son Jardin Fleuri. Elle a aussi d'autres surprises, comme sa propre fusée !

Véra utilise sa queue pour attraper des étoiles en compagnie de Dora.

Le Trio fiesta

Comment ils ont rencontré Dora

Le Trio fiesta a perdu ses instruments en conduisant une bicyclette pour se rendre à un concert offert en l'honneur de la reine des abeilles. Dora a sauvé la situation en redonnant les instruments au drôle de trio !

Voici le Trio fiesta : une grenouille qui joue de la batterie, une sauterelle accordéoniste et un escargot qui joue des cymbales. Lorsque Dora et Babouche franchissent un obstacle, le trio fiesta les récompense en jouant une mélodie.

Oyé ! Oyé !

Si vous avez une annonce importante à faire, le Trio fiesta est là !

La sauterelle joue des mélodies sur son accordéon.
The accordion !

La grenouille aime frapper sur le tambour !
The drum !

Musical instruments

Dora adore aussi jouer et écouter d'autres instruments de musique.

★ **The maracas !**
Secoue les maracas !

★ **The guitar !**
Gratte la guitare !

★ **The horn !**
Souffle dans le cor !

La flûte de Dora

Babouche sait que Dora aime la musique. Il lui a donc offert une flûte pour Noël.

Drôles de concerts

On ne sait jamais où le Trio fiesta apparaîtra pour jouer de la musique ! Il peut tout aussi bien apparaître sur une planche de surf à la plage que surgir d'une fleur du jardin !

L'escargot aime frapper les cymbales !
The cymbals !

Chantons avec Carte

Le Trio fiesta chante en chœur avec Carte lorsque ce dernier indique le chemin à Dora... Les trois compères ne peuvent tout simplement pas s'empêcher de fredonner une chanson !

Pompon, le lutin grognon

Le lutin grognon est un vieux grincheux qui habite sous le pont. Il ne laisse passer que ceux et elles qui peuvent résoudre ses énigmes difficiles !

Le pont du lutin

Le lutin grognon doit laisser Dora et Babouche traverser le pont lorsqu'ils résolvent ses énigmes. Voilà pourquoi Dora a besoin de ton aide !

Pas de répit pour le lutin

Même lorsque tout le monde dort, le lutin grognon reste éveillé pour confondre les explorateurs avec ses énigmes.

Une énigme difficile

Dora et Babouche devaient faire rire le lutin grognon pour pouvoir traverser le pont. Ils ont réussi en faisant des grimaces !

Pompon, le lutin pas toujours grognon

Le lutin grognon n'est pas toujours aussi grognon. Les grimaces, les fêtes, les feux d'artifice et les fleurs violettes le font danser gaiement !

Les énigmes du lutin grognon

★ 1. Voici l'une des énigmes les plus difficiles. Pour couper le filet, tu auras besoin d'une paire de _____

a) ciseaux   b) chaussettes   c) maracas

★ 2. Tu seras fier/fière de résoudre cette énigme. Trouve l'objet qui fait beaucoup de bruit.

a) un cor   c) une friandise

b) un livre

Réponses à la page 48

La barbe du lutin grognon traîne sur le sol.

Un coup de main

Dora l'Exploratrice à la rescousse ! Dora et Babouche sont toujours prêts à venir en aide à leurs amis, grands ou petits.

Grand Poulet Rouge

Dora et Babouche ont sauvé la fête saugrenue de Grand Poulet Rouge en l'aidant à retrouver son gâteau. Il était sur sa tête !

Toute bonne fête a un gâteau ! *A cake !*

« Poc Merc d'avoir trouvé mon gâteau ! »

Grand Poulet Rouge s'est habillé chic pour sa fête saugrenue !

Grands lacets bleus

Dora a aidé Grand Poulet Rouge à maintes reprises. Par exemple, c'est elle qui l'a tiré d'embarras lorsqu'il n'arrivait pas à attacher ses souliers

Mister Toucan

Lorsque Mister Toucan a besoin de super espions pour une mission, il sait à qui faire appel : Dora et Babouche. En échange, il volera au secours de Dora dès qu'il en aura la chance.

Mister Toucan parle anglais !

Bébé Oiseau Bleu

Dora et Babouche ont aidé Bébé Oiseau Bleu à retrouver sa Maman dans le Petit Arbre Bleu.

Les plumes multicolores de Mister Toucan l'aident à se camoufler dans la forêt tropicale et colorée.

Merci pour ton aide ! Thanks!

Voici quelques amis qui veulent remercier Dora de les avoir aidés....

★ ...à attraper un souhait et pouvoir faire le vœu de rentrer à la maison ! – La Peluche

★ ...à gagner un sifflet à la Grande Station Jaune ! – Le train bleu

★ ...à devenir un vrai lion de cirque ! – Lion

★ ...à revenir à l'Île des Crapauds et retrouver ma voix ! – Le crapaud

★ ...à retourner auprès de ma famille sur l'Île au Crabe ! – Bébé Crabe

★ ...à sauver un chaton qui était coincé dans un arbre !– Red le camion de pompier

Les aventures de Dora

Grâce à ton aide, Dora a exploré des endroits incroyables tels que le rocher Arc-en-ciel, le pôle Nord et le Rocher Rouge. Quel est ton endroit préféré ?

Rocher Arc-en-ciel

Le jour de la Saint-Valentin, Dora et Babouche ont eu besoin de ton aide pour se rejoindre au rocher Arc-en-ciel. Lorsqu'ils sont arrivés au sommet, ils ont mangé de délicieuses fraises !

Pôle Nord

Voici Chipeur !
« Chipeur, arrête de chiper ! »

Un cadeau pour le Père Noël

Pour Noël, Dora a voulu offrir un cadeau au Père Noël. Dora et Babouche ont enfilé des vêtements chauds et se sont rendus jusqu'au pôle Nord.

Sortir de l'eau

Dora et Babouche ont voyagé à bord d'un sous-marin pour aider Bébé Poisson Rouge à rentrer au Rocher Rouge situé au milieu de l'océan.

Les destinations de Dora

Dora est une exploratrice en mouvement ! Ses voyages l'ont amenée :

⭐ à la Montagne Étoilée

⭐ dans le Désert

⭐ dans le Monde des Comptines

⭐ dans l'Espace

⭐ tout autour du monde !

Il y a une étoile au sommet de la Montagne Étoilée.

Dora et les pirates

Dora et ses amis naviguent vers une grande aventure en haute mer, et s'engagent dans un voyage épique et musical pour récupérer leur coffre au trésor qui a été volé par les cochonnets pirates !

À l'abordage !

Dora et ses amis veulent monter une pièce de théâtre sur les pirates, mais les cochonnets pirates décident de voler leur coffre à costumes et de l'emporter sur l'Île aux Trésors. Ils croient que le coffre est rempli d'or !

« Yarrr ! »

Carte au trésor

Carte indique à Dora qu'ils doivent naviguer sur les Sept Mers, passer sous le Pont Chantant et se rendre sur l'Île aux Trésors pour récupérer le coffre. Dis-le avec Carte : « Mers, Pont et Île aux Trésors ! » "Seas, Bridge, Treasure Island!"

Levez l'ancre !

Les amis pirates sont fort occupés lorsqu'ils naviguent sur les mers et passent sous le pont.

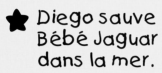

★ Diego sauve Bébé Jaguar dans la mer.

Dis au canon : « Redonne-nous notre trésor ! »

Perroquet Pirate est un vieil oiseau marin.

★ Dora attrape des étoiles, dont l'Étoile super héros.

★ Les amis traversent le banc de brouillard.

★ Véra contourne des gros rochers méchants.

★ Dora répare la roue du gouvernail du bateau de pirates !

C'est un coffre au trésor rempli de costumes.

Chipeur en haute mer

Sur l'Île aux Trésors, Dora doit empêcher Chipeur de chiper le coffre. « Chipeur, arrête de chiper ! »

Ohé, les cochonnets pirates !

Lorsque les cochonnets pirates se rendent compte que le coffre aux trésors est rempli de costumes et non d'or, ils s'excusent de leur erreur. Ils adorent chanter et décident donc de se joindre à la pièce de théâtre de Dora sur les pirates !

Que le spectacle commence !

Affublés de chapeaux de pirates, de crochets et de bottes, les amis présentent leur pièce de théâtre sur les pirates à leurs familles. Ils n'auraient jamais réussi sans ton aide !

La Planète Violette

La Planète Violette !
The Purple Planet !

Dora et Babouche sont propulsés dans l'espace et s'engagent dans une aventure extraterrestre. Nos deux héros doivent raccompagner sur leur planète cinq extraterrestres qui se trouvaient à bord d'un vaisseau spatial qui a atterri sur la Terre. Ils entament donc leur long voyage vers la Planète Violette.

Dora porte sa combinaison spatiale sur la Planète Violette.

Nouveaux amis

Dora fait la rencontre de charmantes créatures de l'espace, Flinky, Inky, Plinky, Dinky et Al, qui ont besoin d'aide pour rentrer à la maison.

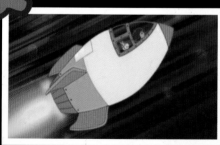

La fusée de Véra

Comme le vaisseau spatial des extraterrestres s'est abîmé en touchant la Terre, Dora et Babouche doivent emprunter la fusée de Véra pour raccompagner les extraterrestres sur leur planète !

Carte des étoiles

Carte connaît son chemin même dans les confins de l'espace ! Il indique à Dora qu'elle doit traverser la voie lactée, passer par les Rochers Spatiaux et continuer jusqu'à la Planète Violette.

Ourson â la rescousse

Dora aperçoit une constellation d'ours en peluche qui lui indique le chemin à prendre pour se rendre à la voie lactée !

Le chemin du retour

Dora et Babouche atterrissent sur la Planète Violette. Flinky, Inky, Plinky, Dinky et Al sont enfin revenus à la maison ! Hourra !

Flinky

Inky

Plinky

Dinky

Al

Le pays des fées "Zzzzz...."

Dora et Babouche explorent le pays des fées lorsque la méchante sorcière transforme Babouche en Babouche au bois dormant ! Dora a besoin de ton aide pour devenir Princess Dora et sauver son ami !

Babouche s'est fait jeter un sort par la sorcière.

Bienvenue au pays des fées

Dora et Babouche traversent le portail magique pour entrer au pays des fées. Il s'agit d'un lieu enchanté rempli de châteaux, de sucettes et d'amis féériques tels que le bonhomme en pain d'épices et Blanche-Neige !

La méchante sorcière

La méchante sorcière se déguise en arbre et tend une banane à Babouche. Le fruit le fait tomber dans un sommeil très profond, et seule Dora peut briser le sortilège.

Le pouvoir d'une princesse !

Pour devenir une vraie princesse et réveiller Babouche au bois dormant, Dora doit :

★ Trouver l'anneau rouge du dragon.

★ Apprendre aux Roches Géantes à chanter.

★ Transformer l'hiver en printemps.

★ Apporter la lune à la Reine et au Roi.

La caverne du dragon

Lorsque Dora trouve l'anneau rouge du dragon, elle le délivre aussi de son sort et se rend compte que le dragon est en fait un prince !

Le sac de rayons de soleil fera fondre la neige.

Le Grand Géant

Dora apprend aux Roches Géantes à chanter et retrouve le chien du Géant. Le Grand Géant lui offre un sac de rayons de soleil pour transformer l'hiver en printemps.

Princesse Dora porte une robe scintillante.

Haut dans le ciel

Dora et ses amis construisent un escalier en étoiles pour se rendre à la lune, et rapporter celle-ci à la reine et au roi. Dora est presque une princesse !

Une vraie princesse

Le Roi transforme Dora en vraie princesse. Dora part sur le dos d'une licorne pour aller rejoindre Babouche; elle le réveille en lui faisant un gros câlin !

Dansons â la rescousse

Lorsqu'un elfe dansant et rusé enferme Chipeur à l'intérieur d'une bouteille, Dora doit danser au concours de danse du roi et gagner un grand souhait pour pouvoir délivrer Chipeur !

Lorsque Chipeur aide l'elfe dansant à sortir de la bouteille, c'est Chipeur qui se retrouve prisonnier de la bouteille !

L'elfe dansant

L'elfe dansant, qui ne veut pas redevenir prisonnier de la bouteille, tente d'empêcher Dora de remporter le grand souhait !

Carte, par où devons-nous aller ?

Pour participer au concours de danse du roi, Dora doit passer par la pyramide, puis traverser l'océan pour se rendre au château !

À l'intérieur de la pyramide

Tico transporte Dora et Babouche jusqu'à la pyramide à bord de son avion. Une fois rendus à la pyramide, les deux amis doivent :

★ marcher comme des fourmis !

★ se tortiller comme des araignées !

★ Glisser et danser comme des serpents !

Partis en mer

Véra aide Dora et Babouche à se rendre à la mer, où les cochonnets pirates les aident à traverser.

Le château du roi

Dora et Babouche ont besoin de vêtements chics pour pouvoir entrer dans le château du roi John the Fool. Totor vient à la rescousse avec un nœud papillon pour Babouche et une robe du soir pour Dora.

Une danse royale

Lors du concours, Dora fait la danse des « fourmis dans les pantalons » et danse comme un poisson. Elle fait même danser la maman du roi !

La fleur dans les cheveux de Dora ajoute une touche finale.

Tout le monde peut danser !

Dora remporte le grand souhait et délivre Chipeur. Elle demande au roi de laisser l'elfe dansant à l'extérieur de la bouteille, puis elle invite tout le monde à danser. Célébrons en dansant !

Très beau jeu de pieds.

C'est gagné !

« C'est gagné ! We did it! »

Lorsque Dora et Babouche terminent une aventure, ils célèbrent toujours en chantant « C'est gagné » ! Dora et Babouche adorent danser et chanter avec d'autres explorateurs comme toi !

Célébrons !

C'est toujours amusant de célébrer avec sa famille et ses amis ! Avec qui Dora célèbre-t-elle sur cette image ?

À toutes les fêtes, il faut de la musique. Hourra pour le Trio fiesta !

Party time

Les amis de Dora l'ont aidée à explorer, et ils se joignent à la fête ! Combien d'amis de Dora comptes-tu dans cette image ?

Une piñata remplie de délicieuses friandises.

Parfois, Dora invite même Chipeur à la fête !

Aventures favorites

Dora a participé à de nombreuses aventures. À la fin de chaque histoire, Dora te demande ce que tu as préféré de l'aventure.

★ Dora a aimé l'aventure où elle a découvert qu'elle allait être une grande sœur !

★ Babouche a aimé la journée spéciale où il a pu visiter son papa au travail !

Babouche adore faire le singe.

★ Quelle est ton aventure favorite ?

Réponses :

Page 23

Il y a dix taches sur la tête de Bébé Jaguar.

Page 33

1. a (ciseaux)

2. a (un cor)

Paru sous le titre original de : *Essential Guide*
Ce livre est une production de Simon & Schuster.

Publié par **PRESSES AVENTURE**, une division de
LES PUBLICATIONS MODUS VIVENDI INC.
55, rue Jean-Talon Ouest, 2e étage
Montréal (Québec)
Canada H2R 2W8

Dépot légal - Bibliothèque et Archives nationales du Québec, 2006
Dépot légal - Bibliothèque et Archives Canada, 2006

Traduit de l'anglais par : Catherine Girard-Audet

ISBN-10 2-89543-525-1
ISBN-13 978-2-89543-525-9

ÉCOLE FÉLIX-LECLERC
161, BOUL. MONCHAMP
ST-CONSTANT, QC
J5A 2K8

Nous reconnaissons l'aide financière du gouvernement du Canada par l'entremise du Programme d'aide au développement de l'industrie de l'édition (PADIÉ) pour nos activités d'édition.

Gouvernement du Québec — Programme de crédit d'impôt pour l'édition de livres — Gestion SODEC